Geronimo Stilton

GARE AU CALAMAR !

ALBIN MICHEL JEUNESSE

Chers amis rongeurs,
bienvenue dans le monde de

Geronimo Stilton

L'Écho du rongeur
Rédaction

Geronimo Stilton

Téa Stilton

Benjamin Stilton

Traquenard Stilton

Patty Spring

Pandora Woz

Farfouin Scouit

Texte de Geronimo Stilton.
*Basé sur une idée originale d'*Elisabetta Dami.
Collaboration éditoriale de Certosina Kashmir.
Couverture de Lorenzo Chiavini.
Illustrations intérieures de Valeria Turati.
Graphisme de Beatrice Sciascia *et de* Francesco Marconi.
Traduction de Titi Plumederat.

Ce livre est dédié à Adriana Sirena !

www.geronimostilton.com

Pour l'édition originale :
© 2003, Edizioni Piemme S.p.A. – Via Tiziano, 32 – 20145 Milan, Italie
www.edizpiemme.it – info@edizpiemme.it
sous le titre *Lo strano caso del calamarone gigante.*
International rights © Atlantyca S.p.A. – Via Leopardi, 8 – 20123 Milan, Italie – www.atlantyca.com – contact : foreignrights@atlantyca.it
Pour l'édition française :
© 2011, Albin Michel Jeunesse – 22, rue Huyghens, 75014 Paris
www.albin-michel.fr
Loi 49-956 du 16 juillet 1949 sur les publications destinées à la jeunesse
Dépôt légal : premier semestre 2011
N° d'édition : 18476
ISBN-13 : 978 2 226 22012 7
Imprimé en France par Pollina s.a. - L56283

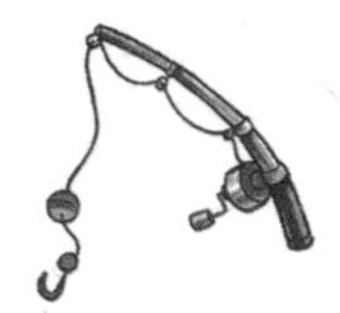

UNE SOUPE DE POISSON AU PETIT DÉJEUNER !

C'était un *lumineux* dimanche de juin.
Le soleil pointait à l'horizon.
Pour fêter cette première journée d'été, j'avais décidé d'emmener mon neveu Benjamin faire un tour de voilier.
Oh, excusez-moi, je ne me suis pas encore présenté : mon nom est Stilton, *Geronimo Stilton* !
Je disais donc que je passai prendre mon petit neveu chéri et que nous allâmes ensemble au port de Sourisia. Benjamin était très content.

– Tu as eu une **idée** géniale, tonton !

Sur le port, un de mes amis marins, Ratelot Sourisdemer, nous accueillit chez lui.

Ce vieux loup de mer m'avait aidé à écrire un livre sur tous les poissons qui peuplent les eaux de notre île.

– Salut, Geronimo, comment ça va ? **ÇA BAIGNE ?**

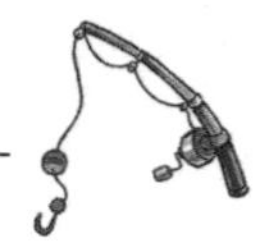

– Euh, très bien, mon cher Ratelot ! Je te présente mon neveu.

Benjamin lui serra la patte.

– Monsieur Ratelot, mon oncle dit que vous êtes un grand marin et un grand gastronome !

L'autre, flatté, se lissa les moustaches.

– Ce n'est pas faux, moussaillon !

La femme de Ratelot, Palourdette Virovent, sortit de la cuisine.

Hein ?

– Qui parle de gastronomie ? Hein ?

Dès qu'elle me vit, elle m'embrassa affectueusement.

– Geronimo ! Comment vas-tu ? Et qui est cette petite souris à la mine sympathique ? Ton neveu ?

Elle nous servit deux bols de soupe de poisson fumante, qu'elle saupoudra de PIMENT rouge, et elle frotta de l'ail frais sur des croûtons croustillants.

– Je vais vous remplir l'estomac, moi ! Rien de plus sain qu'une bonne soupe de poisson bien corsée dès le matin !

Que c'est beau !

J'ai l'estomac plutôt délicat, mais je ne voulais pas la vexer en refusant, et je me forçai à **avaler sa soupe.**
Benjamin, lui, l'engloutit avec appétit.
– Vous êtes une excellente cuisinière, madame !
Ratelot nous conduisit sur le quai, jusqu'au voilier qu'il avait loué pour la journée.

JE T'AI MENÉ EN BARQUE... MUSEAU DE FONDUE !

Tant que nous restâmes dans le port, tout se passa pour le mieux.
Mais dès que nous en sortîmes, les vagues commencèrent à bercer le bateau **de haut en bas, de haut en bas, de haut en bas, de haut en bas.**

Et dans mon ventre, la soupe de poisson se mit elle aussi à danser **de haut en bas, de haut en bas, de haut en bas.**

– **Tu vas bien, tonton ?** demanda Benjamin, inquiet.

J'avais l'estomac retourné comme une chaussette.

– Ouille ouille ouille, je souffre... Je savais bien que je ne devais pas manger de cette soupe... Scouiiit...

Benjamin m'humecta le front avec de l'eau froide, et je me sentis mieux.

MAIS SOUDAIN MAIS SOUDAIN MAIS SOUDAIN MAIS SOUDAIN...

... soudain, je vis émerger à la proue du bateau un être monstrueux ! Un *incroyable*, un *indescriptible*, un *terrible* amas d'algues ! La créature avait les grands yeux écarquillés d'un détraqué ! Et elle puait comme un égout à ciel ouvert !

Je hurlai :

– LE MONSTRE DE LA VASE ?!

Au secouuurs!

La créature cracha un jet d'eau saumâtre qui me frappa en plein museau : SPLUTTT !
Puis elle chantonna :

Farce farçounette... le matin tu embarques
Tu crois avoir des visions...
Museau de fondue, je t'ai mené en barque !
Tu as mordu à l'hameçon...
Pas plus fin qu'un poisson !
Même les poulpes sont plus malins...
Tralalalalère !

Je m'aperçus que le monstre avait une peau de banane glissée derrière l'oreille. C'est alors seulement que je le reconnus.
C'était Scouit, **FARFOUIN SCOUIT** !

STILTON*ITOU*, NE FAIS PAS LE *'TIT* RABAT-JOIE !

Le monstre, c'est-à-dire Farfouin, sauta sur le voilier en ricanant :

– Tu as aimé la *'tite* farce ? Hé hé hééé, tu as vraiment cru que j'étais le MONSTRE DE LA VASE ?

Mes moustaches vibraient d'exaspération.

– Je n'ai pas digéré la soupe de poisson, j'ai le mal de mer… il ne manquait plus que tes farces !

Il murmura d'un ton mystérieux :

– Stilton*itou*, j'ai besoin d'un *'tit* coup de main. Je mène une *'tite* enquête intéressante : dans le port de notre *'tite* ville, on a constaté une… **invasion de crabes bleus**, et je soupçonne que…

Je secouai la tête.

– Je regrette, Farfouin, mais je suis très pris en ce moment.

Il insista :

– Allez, Stilton*itou*, ne fais pas le *'tit* rabat-joie tatillon ! Fais un *'tit* effort ! Au nom de notre vieille amitié de l'école... Rappelle-toi toutes ces *'tites* blagues amusantes, ce ne sont pas de beaux souvenirs ? Par exemple, le jour où, en cours de science, j'ai caché un poulpe vivant dans ton cartable...

– Comment pourrais-je oublier cela ? soupirai-je. Je te promets d'y réfléchir.

L'INVASION DES CRABES BLEUS

De retour au port, je demandai à Ratelot si cette histoire d'invasion de crabes était vraie.
Il se gratta les moustaches, perplexe.
– Je n'en ai jamais vu autant dans le port. Chaque jour, ils sont plus nombreux. Personne ne comprend pourquoi ! D'ailleurs, personne n'avait jamais vu de **crabes bleus** !

Il me montra les rochers de la jetée, où en effet grouillaient des crabes à la carapace bleu sombre qui nous fixaient d'un air mauvais.

Je frissonnai Je frissonnai Je frissonnai Je frissonnai

Hum… ainsi, Farfouin avait raison.

Je hélai un taxi pour me rendre chez Farfouin Scouit :

– S'il vous plaît, conduisez-moi au 17, rue des Spaghettis !

COMME D'HABITUDE, TU EXAGÈRES !

Arrivé devant chez Farfouin, j'appuyai sur la sonnette et je me présentai à l'interphone :

– C'est moi, Stilton, *Geronimo Stil*...

Un seau plein de puantes sardines **AVARIÉES** se déversa sur ma tête.

Je tombai à la renverse comme une quille.

Farfouin apparut sur le seuil.

– Stilton*itou,* tu aurais pu dire que c'était toi, j'aurais désactivé mon *'tit* antivol contre les *'tits* voleurs !

Je me relevai en titubant.

– C'est vraiment dangereux de te rendre visite, tu sais. Un jour ou l'autre, j'y laisserai mon **pelage**.

Il ricana.

SCOUIT !
SCOUIT !
Miam ! Miam !
SCOUIT !
SCOUIT !

– Comme d'habitude, tu exagères ! Ce ne sont pas quelques *'tites* sardines qui te feront du mal ! Le poisson, c'est excellent, tu sais ! Allez, viens prendre une *'tite* douche, je te prêterai un de mes *'tits* imperméables !

Je pris une **DOUCHE**, puis Farfouin me prêta un vêtement jaune.

– *Je te taquinoute** mon imperméable d'intérieur.

Je m'exclamai :

– Je ne vois pas la différence avec celui que tu portes !

Il secoua la tête d'un air supérieur et ouvrit son armoire, remplie de mille et mille imperméables *apparemment* identiques.

– On voit que tu n'y connais rien... L'imperméable d'**INTÉRIEUR** a des pantoufles incorporées, celui-ci est un imperméable de *soirée*, cet autre, de bureau, celui-là, je le mets pour jouer au **tennis**, celui-là est pour la PLAGE, celui-là... je ne me souviens plus, cet autre, c'est pour les **voyages**, cet autre encore pour le **BOWLING**, et celui-ci pour la

* **Je te taquinoute** : *je te prête.*

Voici quelques-uns des modèles d'imperméables de la collection de Farfouin Scouit...

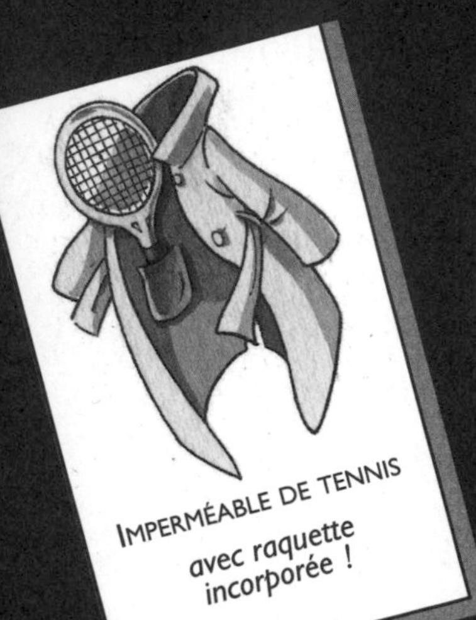

IMPERMÉABLE DE TENNIS

avec raquette incorporée !

IMPERMÉABLE DE SURVIE

se transforme en tente !

IMPERMÉABLE DE CARNAVAL

avec farce incorporée !

IMPERMÉABLE DE CUISINE

avec tablier incorporé !

IMPERMÉABLE DE SOIRÉE

avec doublure de soie noire !

IMPERMÉABLE DE MER

avec bouée de sauvetage !

IMPERMÉABLE D'ENQUÊTE

avec loupe, ordinateur et imprimante incorporés !

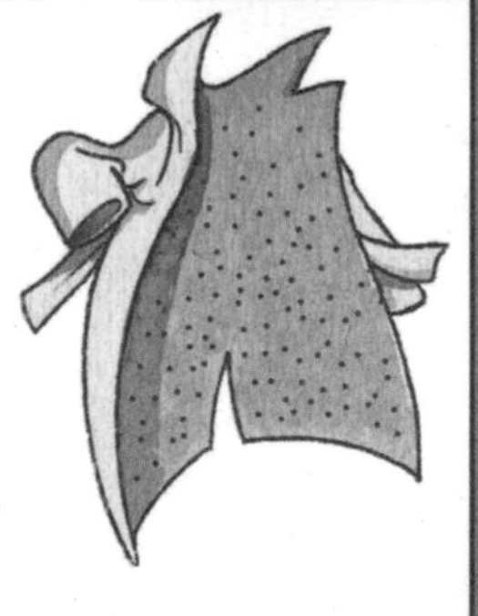

IMPERMÉABLE DE JOGGING

garanti antitranspiration et antiodeurs !

SURVIE... ça, c'est le modèle de NOËL, avec la dinde aux marrons incorporée, et là, c'est celui de HALLOWEEN, accessoirisé avec plein de *'tites* farces d'horreur !

Une araignée géante en caoutchouc bondit hors de la poche de l'imperméable en question et me piqua le museau.

– Aïïïïïïïïïïïe !

Farfouin n'arrêtait pas de se bidonner.

– 'Tite farce ! Mais tu tombes toujours dans le panneau, Stilton*itou*, toujours toujours toujours toujours !

Puis il recouvra son sérieux :

– *Par mille bananettes*, il se passe quelque chose de terrible dans la mer autour de Sourisia. Je te tiendrai au courant. *Fais valser le combiné** demain soir !

Je rentrai chez moi inquiet.

* **Fais valser le combiné :** *téléphone-moi.*

JE TIENS À MA QUEUE, MOI !

Le lendemain matin, je me **levai** en bâillant. J'allai dans la salle de bains, mais… un crabe bleu sortit des toilettes et me pinça la queue.

– Aïïïïïe ! hurlai-je. Je tiens à ma queue, moi !

Je refermai le couvercle des toilettes au moment où un autre crabe sortait clopin-clopant du robinet. Un troisième s'extirpa de la bonde de la baignoire ! Je sortis de chez moi au pas de **COURSE** comme j'étais, en pyjama, et me précipitai à mon bureau, à *l'Écho du rongeur.* Pour une nouvelle, ça, c'était une nouvelle !

13

RENDEZ-VOUS, PEUPLE DES SOURIS !...

Un véhicule de la police passa dans la rue.

– Enfermez-vous chez vous ! Bouchez tous les tuyaux !

Ne sortez sous aucun prétexte, je répète, sous au-cun pré-tex-te !

Au bureau, j'allumai la radio et la télévision pour écouter les dernières informations...

– *Des milliers de crabes bleus ont envahi notre ville. Et une armée de crabes s'est déployée sur le quai numéro 13 de Sourisia : on dirait qu'ils attendent l'ordre d'attaquer !*

Soudain, par la fenêtre, j'entendis une voix mystérieuse qui annonçait...

RENDEZ-VOUS, PEUPLE DES SOURIS ! VOUS ÊTES EN MON POUVOIIR !

Un frisson hérissa mon pelage et mes moustaches tremblèrent.

Rendez-vous, peuple des Souris !…

De loin, à l'aide de jumelles, j'observai ce qui se passait : les crabes bleus avaient envahi toutes les rues de Sourisia. Et, avec leurs pinces aiguisées, ils étaient en train de déchiqueter la ville !

Par dizaines, ils escaladaient les arbres de notre merveilleux parc, en découpaient les feuilles et en arrachaient l'écorce…

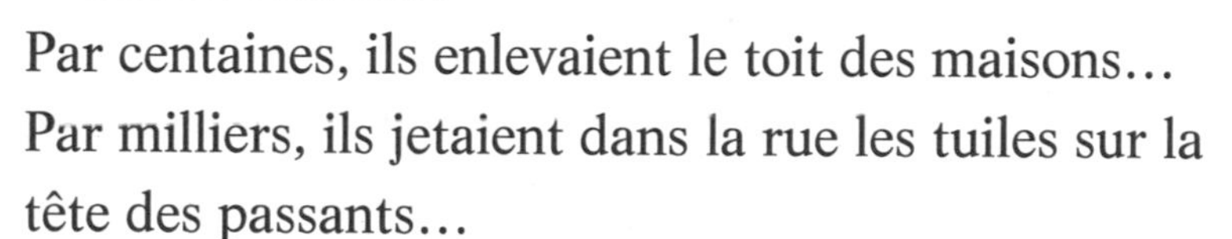

Par centaines, ils enlevaient le toit des maisons…

Par milliers, ils jetaient dans la rue les tuiles sur la tête des passants…

Un crabe plus **gros** que les autres pinça le pneu d'une voiture qui se dégonfla en sifflant : pfffffffff !

La voix mystérieuse reprit :

PEUPLE DES SOURIS,
JE SUIS
THALASSIUS THALASSIMAQUE Ier,
L'EMPEREUR BLEU.
TREMBLEEEZ !

Les crabes se dirigèrent vers le port et plongèrent dans l'eau, où ils disparurent en quelques instants. Tous les habitants de Sourisia sortirent de chez eux et se demandèrent, très inquiets :

– Mais qui est ce Thalassius ?

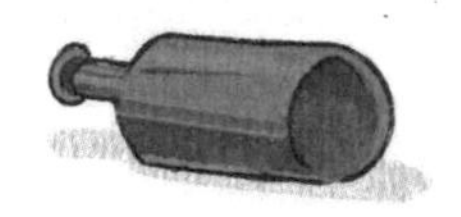

… OU TANT PIS POUR VOUS !

Toute la ville était en ALARME ROUGE. Des hélicoptères survolaient le quartier du port… des gardes surveillaient les quais pour repousser les crabes avec de puissantes lances d'incendie… et des équipes de volontaires patrouillaient dans les rues pour défendre notre cité !

La journée se déroula tranquillement, mais le soir, les vagues déposèrent sur la plage une énorme bouteille de verre contenant un rouleau de papier. Le maire, Honoré Souraton, ordonna de déboucher cette bouteille.

Honoré Souraton
maire de Sourisia

Une forte **ODEUR D'ALGUES** se répandit alentour.

Le maire déroula la feuille de papier et lut à haute voix, inquiet…

TSUNAMI !

C'est avec un peu d'angoisse que, le lendemain matin, je me mis à la fenêtre.

La brise marine charriait une étrange odeur de sel, d'algues, de plages lointaines…

À 9 heures, alors que les rues de la ville étaient pleines de rongeurs se rendant à leur travail, on entendit un grondement qui ne cessait d'augmenter !

Le soleil s'obscurcit, comme voilé par un nuage.

Je levai les yeux…

Le ciel était obscurci par une vague **gigantesque** !

Je savais ce que c'était : UN TSUNAMI ! TSUNAMI !

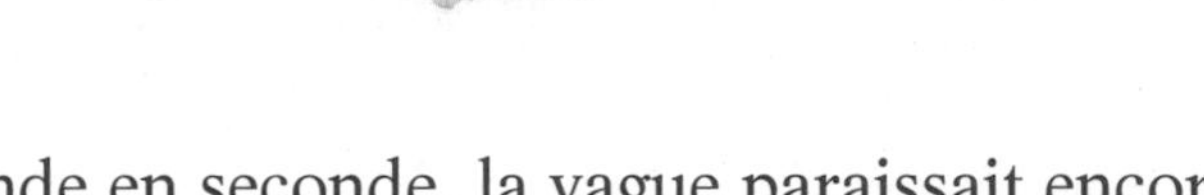

De seconde en seconde, la vague paraissait encore plus haute, si c'était possible. Un nuage d'écume bouillonnait, menaçant, à son sommet.
Les rayons du soleil l'éclairaient par transparence, faisant briller cette énorme paroi liquide d'un bleu cristallin.

TSUNAMI

Mot japonais désignant une vague gigantesque, très haute et très large.
Elle peut atteindre une vitesse de 100 mètres à la seconde !
Un tsunami se déclenche habituellement après un tremblement de terre sous-marin.

J'entendis la mystérieuse voix qui grésillait au-dessus de la mer :

JE PEUX BALAYER VOTRE VILLE EN UN INSTANT. PRÉPAREZ-VOUS À ME REMETTRE... MILLE TONNES D'OR !

UN TENTACULE BLEU MENAÇANT

Le maire dit, hésitant :

– Mille tonnes d'or ? Mais c'est énorme !

– **NE DISCUTEZ PAS MES ORDRES.**

– Et à qui devrons-nous les remettre ?

La voix métallique ricana.

– **VOUS LE DÉCOUVRIREZ BIENTÔT ! HA HA HAAA !**

Soudain comme elle était venue, la vague se retira vers la mer.

J'allais pousser un soupir de soulagement, mais l'eau du port commença à bouillon-

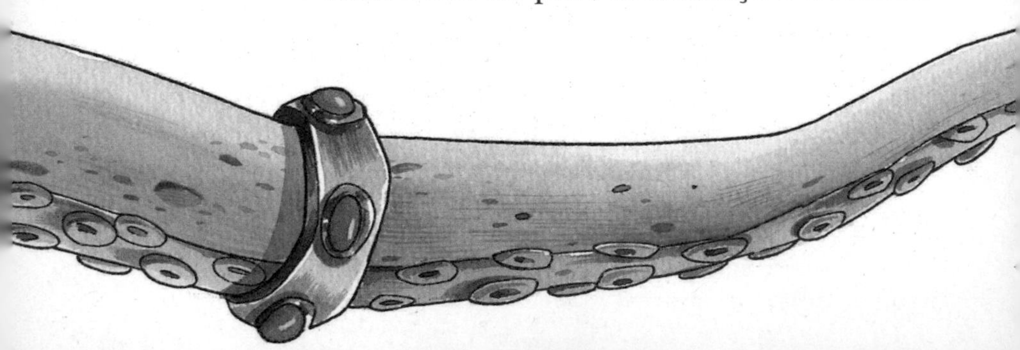

ner, et sous le ponton de la Société d'**AVIRON** jaillit un tentacule bleu menaçant, cerclé par un bracelet de fer.

Le tentacule s'étira jusqu'à la capitainerie du port, glissa le long du quai numéro 13 et s'enroula autour du phare.

Il était interminable…

Il devait appartenir à un animal **COLOSSAL** !

Tandis que les baigneurs s'enfuyaient en hurlant, il traça ces mots sur le sable humide :

Je suis le Calamar Bleu.

Je reviendrai demain pour prendre livraison de l'or.

Pas d'entourloupes…

ou mon patron vous anéantira !

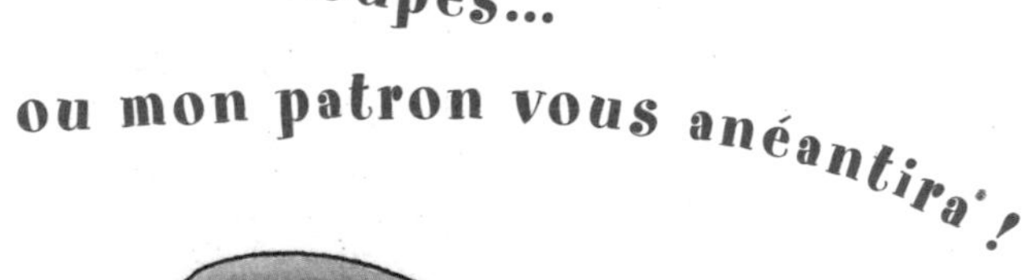

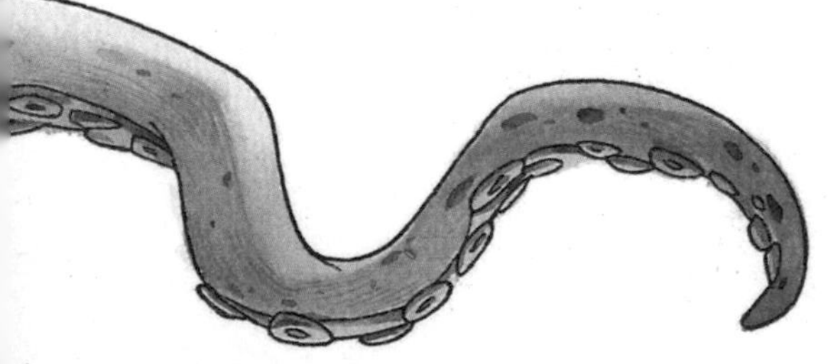

CALAMAR (LOLIGO VULGARIS)

Mollusque céphalopode au corps conique, pouvant mesurer jusqu'à 60 centimètres. Il est doté d'une coquille interne. La partie intérieure de ses tentacules est couverte de ventouses. Il est capable de cracher une substance noirâtre, appelée « encre ». Il se nourrit de poissons et de crustacés. Il est comestible. Il existe un calamar géant (*Architeuthis*), qui peut dépasser les 18 mètres de longueur totale (et on suppose qu'il en existerait même jusqu'à 45-50 mètres !). Ses yeux, énormes, sont les plus grands du règne animal : ils lui servent à capter la faible lumière qui se diffuse dans les profondeurs où il vit, à plus de 1 000 mètres sous le niveau de la mer.

Le Conseil des sages de la ville des Souris convoqua tous les citoyens, à midi, sur la plus grande place de la ville, la place de la Pierre-qui-Chante. Le maire, Honoré Souraton, annonça :

– Le peuple des Souris a un cœur fier.
Jamais, dans son histoire, il ne s'est rendu à un envahisseur !
Même à l'époque de la Grande Guerre contre les Chats,
il a combattu valeureusement contre les félins !
Mais cette fois c'est différent.
Comment combattre un ennemi invisible qui se cache
au fond des mers et qui a des alliés si puissants ?

Il se moucha, tristement.
– Cette fois, pour la première fois, il faut que nous cédions.

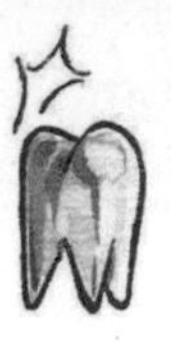

LINGOTS, BRACELETS… ET DENTS EN OR !

La récolte de l'or commença sans tarder.

Tous les habitants vinrent déposer les objets en or qu'ils possédaient.

Ma tante Toupie renonça même à son alliance.

– C'est un souvenir auquel je suis très attachée, mais si cela peut aider à sauver la ville… dit-elle en séchant une larme avec un mouchoir de dentelle.

Grand-père Honoré apporta, en rouspétant, ses boutons de manchette en or massif.

Ma sœur Téa offrit son trophée d'or des championnats de karaté, mon neveu Benjamin la médaille d'or qu'il avait remportée lors d'une compétition de natation.

Mon cousin Traquenard me téléphona, inquiet :

– Tout ce que je possède, comme or, c'est la DENT que je me suis fait poser l'an dernier. À ton avis, il faut que je l'arrache ?

Tous ceux qui le pouvaient contribuèrent à la récolte d'or.

Benjamin Stilton

Pendant ce temps, je cherchais Farfouin partout, mais sans le trouver.

Téa Stilton

Traquenard Stilton

MILLE TONNES D'OR !

Le maire fit apporter sur la place la plus grande balance que l'on puisse dénicher, puis il commença à peser l'or. De mon côté, je continuais de chercher Farfouin, mais je ne le trouvais toujours pas !
Vers minuit, le maire Souraton annonça :
– Citoyens de Sourisia, nous y sommes presque !
Il vérifia encore ses calculs, puis conclut :
– Il ne manque que… cent cinquante grammes d'or !
Tous les citoyens de Sourisia s'écrièrent…

– Nous n'avons plus d'or !

– Il n'y en a plus dans toute la ville !
– Pas même un gramme !

Je glissai la patte dans ma poche et sentis sous mes doigts quelque chose que j'avais oublié… la montre en or que, dans ma famille, on se transmet depuis des générations !

Je courus la déposer sur le plateau de la balance.

Le maire exulta :

– Mille tonnes d'or tout juste !

L'horloge de la mairie sonna solennellement les douze coups de minuit.

C'est alors qu'on entendit un cri qui venait des quais :

– Le calamar bleu arrive !

Un tourbillon s'était formé dans l'eau et il y eut un gargouillis.

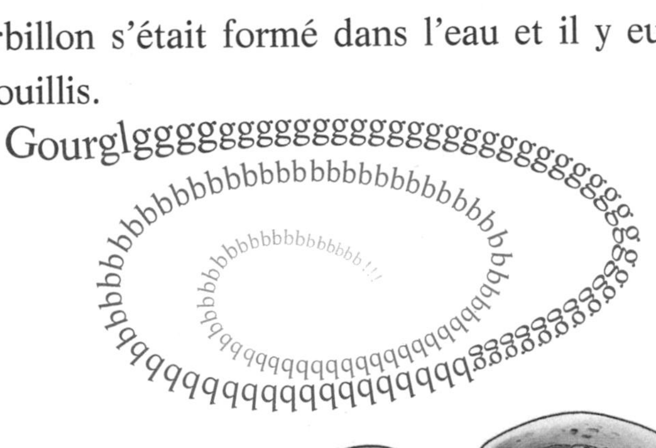

Un tentacule bleu et visqueux jaillit hors des vagues.
Une tête sortit de l'eau et s'éleva au-dessus des toits de Sourisia, avec d'énormes yeux menaçants.
Je sentis une épouvantable odeur d'algues.
Le calamar géant se souleva lentement au-dessus des eaux et rampa jusqu'à nous, comme une **MONTAGNE TREMBLANTE** de gélatine bleue.
Je remarquai que chaque tentacule portait un bracelet de fer.
Il s'approcha de la balance au centre de la place de la Pierre-qui-Chante. Puis l'un de ses tentacules attrapa le plateau sur lequel on avait placé les mille tonnes d'or et le souleva comme si c'était une brindille.
Tout le monde s'écria :

Puis le calamar fit demi-tour et disparut dans l'eau.

Voici une montre en or !

JE SAIS TOUT PILOTER (OU PRESQUE) !

Je rentrai chez moi.

Pour la énième fois, je composai le numéro de Farfouin sur mon portable, mais cette fois il me répondit.

– **ALLÔ ? ALLÔÔÔÔÔ !** hurlai-je.

Il bâilla tranquillement :

– Un *'tit* moment ! Ne t'énerve pas, pourquoi t'agites-tu ?

– Le calamar géant vient de repartir avec les mille tonnes d'or et…

– Comment dis-tu ? Un *cafard* géant ?

– Mais non, un *calamar* ! C-a-l-a-m-a-r !

Farfouin ricana.

– *Calamar... cafard...* c'est pareil, les deux broient du noir, *hé hé hééé...*

Je m'écriai :

– Mais où étais-tu passé ? La situation est grave ! *Il faut* faire quelque chose. Et vite.

Il eut un petit rire.

– Vraiment ? *Par mille bananettes,* mais alors il faut vraiment se dépêcher !

J'étais de plus en plus exaspéré.

– Mais où es-tu ? Il faut que je te voie tout de suite et...

Quelqu'un me tira par la queue.
– Tu veux me voir ? Retourne-toi !
Je me retournai et, dans les eaux **VERDÂTRES** du port, je découvris un sous-marin jaune : les oreilles de Farfouin dépassaient d'un hublot.
Il ricana sous ses moustaches.
Puis il tira ma queue très fort et je tombai dans le sous-marin.
Je fis un roulé-boulé en criant :
– **Au secouuuuuuuuuurs !**
La trappe métallique se referma et le sous-marin plongea.
– J'ai donné un *'tit* coup de téléphone à ton ami Ampère Volt et je me suis fait *taquinouter*

AMPÈRE VOLT

AMPÈRE VOLT est le plus célèbre savant de Sourisia. C'est à ses côtés que j'ai participé à de nombreuses aventures, et même à des VOYAGES DANS LE TEMPS !

en ton nom son *'tit* sous-marin. Je lui ai dit que nous le lui rendrions comme neuf, sans la plus *'tite* égratignure ! Il était loin, en Argentine, il m'a demandé de te saluer.
Je jetai un regard circulaire : oui, c'était vraiment *Hélios*, le sous-marin de Volt, dans lequel nous avions remonté le fleuve Amazone lors d'une aventure ! Le sous-marin orienta sa proue vers le fond et plongea dans les eaux bleues.

You-houuuuuuuuuuuuuuuu !

Je vis passer devant nous une silhouette bleue aux longs tentacules.
Mon ami détective poussa le moteur à plein régime pour se lancer à la poursuite du grand calamar.
Je hurlai, terrorisé :
– Mais tu sais piloter ça ?
Il ricana.
– Je sais tout piloter (ou presque) !

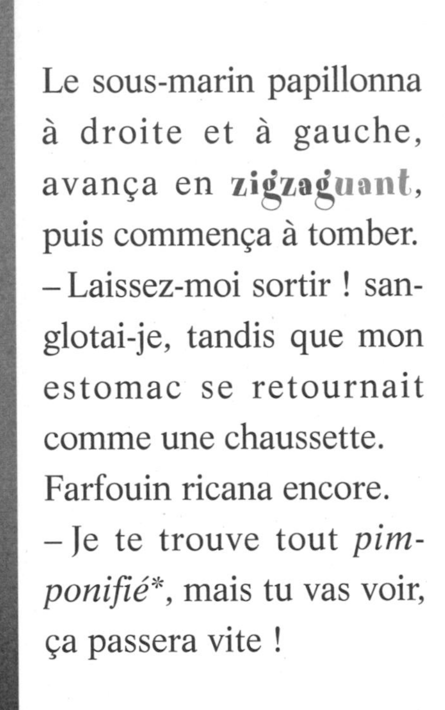

Le sous-marin papillonna à droite et à gauche, avança en **zigzaguant**, puis commença à tomber.

– Laissez-moi sortir ! sanglotai-je, tandis que mon estomac se retournait comme une chaussette.

Farfouin ricana encore.

– Je te trouve tout *pimponifié**, mais tu vas voir, ça passera vite !

* **Pimponifié :** *retourné.*

Je te présente la famille Scouit !

L'eau était de plus en plus sombre.
Je découvris une infinité de nuances de **BLEU** !
Le museau collé à un hublot, j'observai ce merveilleux spectacle.
Des milliers de poissons bariolés me dévisageaient, stupéfaits. Une tortue marine tournoya autour du sous-marin et le suivit pendant un moment.
Une murène serpenta à nos côtés en nous fixant de ses petits yeux méchants.
Voici une raie ! Et… un requin !
Nous arrivâmes enfin au fond de la mer.
Que de coraux, d'anémones, d'étoiles de mer… et même une sole, cachée dans le sable !

Et tous ces coquillages !
Nous continuâmes à poursuivre le calamar. C'était de plus en plus profond et noir.
Farfouin alluma les projecteurs du sous-marin, qui balayèrent l'obscurité.
Nous descendions de plus en plus bas...
Je demandai :
– Mais où allons-nous ?
Il me montra un instrument semblable à une montre.
– Voici mon *'tit* ordinateur de poignet !
Sur l'écran de cet ordinateur apparut une petite rongeuse qui ressemblait à Farfouin : Scouiterine Scouit.
– Salut, *'tit* tonton ! Tante Scouitologiste a fini de calculer votre position.
Sur l'écran apparut alors une autre rongeuse ressemblant à Farfouin.
– Salut, *'tit* cousin ! D'après mes *'tits* calculs, vous devez vous trouver près de la fosse des Mariannes. Je te passe grand-mère Scouitina.

Une autre rongeuse, plus vieille mais toujours semblable à Farfouin, sourit.

– Salut, *'tit*-fils, sois bien fort, d'accord ? Farfou*inou*, je t'envoie un *'tit* bisou, salue pour moi ton ami Stilton*itou* !

Farfouin cria dans le micro de l'ordinateur :

– *Bisoubisoubisou** ! Salut, *'tite* mamie ! Coucou à Scouitologiste, Scoutiratone, Scouitomane, Scouitpatati, Scouitpatata, Scouitisquaw, Squithé, Bébéscouit, Farfouine, Scouittecancan, Scouitishampou, Scouitrapia et Scouiterine !

* **Bisoubisoubisou** : *exprime l'affection.*

SCOUITINA SCOUIT

Grand-mère de Farfouin, elle adore tricoter d'interminables et redoutables chandails tubulaires jaunes.

SCOUITOLOGISTE SCOUIT

Cousine de Farfouin, elle est chercheuse à l'université de Sourisia. Spécialisée en scouitologie.

Scoutiratone Scouit

Cousine de Farfouin, elle est championne de lancer du disque, de rugby, d'haltérophilie et de judo.

Scouitomane Scouit

Cousine de Farfouin, elle raconte sans cesse des mensonges, mais, comme elle n'a pas beaucoup de mémoire, elle est toujours démasquée.

Scouitpatati Scouit

Tante de Farfouin, elle passe son temps au téléphone à cancaner avec sa sœur jumelle Scouitpatata.

Scouitpatata Scouit

Tante de Farfouin, elle passe son temps au téléphone à cancaner avec sa sœur jumelle Scouitpatati.

Scouitisquaw Scouit

Grand-tante de Farfouin, elle se passionne pour la culture des Indiens d'Amérique.

Squithé Scouit

Cousine de Farfouin, toquée parce qu'elle boit trop de thé. Ses crises d'hystérie lors des réunions de famille sont fameuses.

Bébéscouit Scouit

Petite cousine de Farfouin, elle est très capricieuse et alterne cris perçants et projections de purée.

Farfouine Scouit

Sœur de Farfouin, elle est toujours en mission secrète (personne ne sait où, comment et surtout pourquoi).

Scouittecancan Scouit

Cousine de Farfouin, depuis toute petite elle rêve d'être concierge, mais elle est devenue journaliste de mode (elle tient une rubrique de potins mondains très suivie).

Scouitishampou Scouit

Cousine de Farfouin, elle est coiffeuse. Elle veille à l'image de Farfouin et essaie toujours de lui tailler les moustaches en brosse, mais il refuse chaque fois en invoquant des excuses délirantes.

Scouitrapia Scouit

Grand-tante de Farfouin très riche et très avare. Elle menace de déshériter tout le monde.

Scouiterine Scouit

Nièce de Farfouin, elle veut devenir son assistante dans ses enquêtes.

ONZE MILLE TROIS CENT TRENTE-QUATRE MÈTRES SOUS LA MER !

En fouillant dans les livres de la bibliothèque de Volt, je mis la patte sur un atlas.

Je lus à haute voix :

– FOSSE DES MARIANNES : *la fosse océanique la plus profonde de la Terre se trouve dans l'océan Pacifique. Le point le plus bas se trouve à* **onze mille trois cent trente-quatre mètres.**

L'obscurité devint encore plus profonde.

Farfouin poussa les manettes à fond.

– Pour le peuple des Souris et pour sa liberté… **EN AVANT TOUUUUUUUTE !**

CONUS MARMOREUS

TRITON

ARCHITECTONICA

MUREX TRUNCULUS

EPITONIUM SCALARE

Nous voyageâmes pendant des heures et des heures, des jours et des jours.
À travers les hublots, on ne voyait désormais plus rien, et bien que notre sous-marin soit parfaitement pressurisé, j'avais une impression désagréable, comme si je sentais sur mes épaules le poids des tonnes et des tonnes et des tonnes d'eau au-dessus de nous…
Après des jours de voyage, le sous-marin se posa sur le fond.

Stoinggggggggggggggg !
Stoinggggggggggggggg !
Stoinggggggggggggggg !
Stoinggggggggggggggg !

Les **PROJECTEURS** du sous-marin éclairèrent une gigantesque boule bleue.

POISSON CLOWN

POMACENTRUS

ANGE DE MER IMPÉRIAL

POISSON PINCETTE À LONG BEC

POISSON PERROQUET BLEU

Le mystère de la boule bleue

En voltigeant dans une eau d'un noir d'encre, nous nous approchâmes de la mystérieuse boule.

C'était une immense sphère transparente, soutenue par d'**énormes supports d'acier** semblables à des pattes.

– Tâchons de ne pas nous faire repérer ! marmonna Farfouin.

Il éteignit les projecteurs du sous-marin et ralentit le moteur au minimum.

Le sous-marin glissa sur le fond et s'approcha lentement de la boule, *furtif comme un rat.*

De près, la boule était encore plus surprenante.

À l'extérieur, elle paraissait recouverte d'une couche de **PLEXIGLAS** transparent d'un mètre d'épaisseur au moins. À l'intérieur, on entrevoyait un paysage tout à fait semblable à celui de la terre en surface : des forêts, des champs cultivés, des maisons…

Les arbres avaient des feuilles bleu nuit, et sur leurs branches mûrissaient des fruits bleu ciel. Dans les champs poussait du blé azuré… et les murs et les toits des maisons étaient couleur indigo. Les voitures qui roulaient et les avions qui volaient dans cet univers bizarre déployaient…

… toutes les nuances du bleu !

J'indiquai à Farfouin le calamar géant, qui nageait rapidement vers la partie inférieure de la boule. Puis il disparut mystérieusement à nos yeux. Comment avait-il fait ?

BOUCHE-TOI LE *'TIT* NEZ ET EN AVANT !

Nous passâmes sous la boule à l'endroit où avait disparu le calamar et nous entendîmes un grand bruit de succion.

L'eau était aspirée vers le **haut** ! haut ! haut !

Les yeux de Farfouin brillèrent.

– Je viens d'avoir une *'tite* idée. Je vais garer le *'tit* sous-marin, puis nous sortirons et nous nous laisserons aspirer à l'intérieur de la boule !

Je protestai :

– Mais je n'y arriverai jamais ! Je ne suis pas un gars, *ou plutôt un rat*, très sportif ! Et nous n'avons même pas de bouteilles d'oxygène !

– Allez, *'tit* mollasson, assez *débambulaté**, ne sois pas pleurnichard. Il suffit de retenir son souffle. Allez, *'tite* nouille, bouche-toi le *'tit* nez et en avant !

* **Débambulater :** *perdre son temps.*

Je n'eus pas le temps de dire ouf que Farfouin me poussa dehors.
Je crus que j'allais étouffer !
Et je ne voulais pas finir comme un rat noyé !
Je me bouchai le nez d'une patte et nageai, nageai, nageai de toutes mes forces, en suivant Farfouin.

À peine étions-nous arrivés sous la boule qu'un mystérieux et puissant courant nous aspira à l'intérieur en nous faisant tourbillonner en spirale.

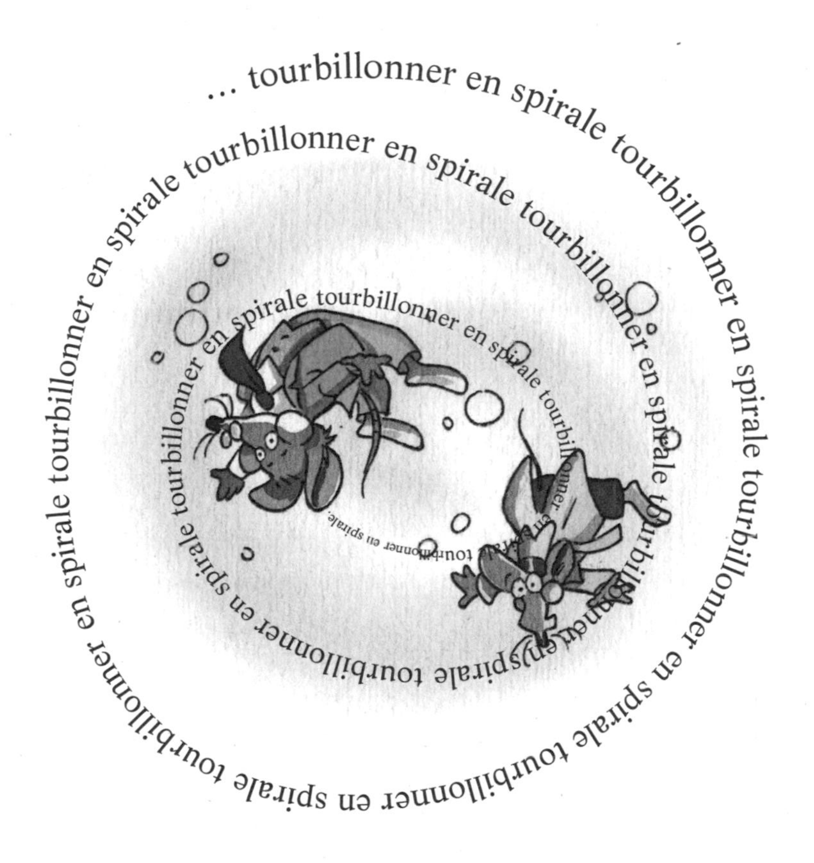

Bleu !

Nous émergeâmes dans un bassin métallique en recrachant des litres d'eau. Nous nageâmes jusqu'au bord et sortîmes d'un bond.
Une affiche était collée sur le mur : le plan de cette mystérieuse **ville bleue**.
Au *nord-est*, le palais de Thalassius. Au *sud*, les champs cultivés. À l'*est*, les usines. À l'*ouest*, les installations qui rendaient la boule habitable : **les systèmes de désalinisation** (pour rendre l'eau potable), **les installations pour extraire l'oxygène de l'eau, les systèmes de lampes solaires** pour recréer la lumière terrestre (afin que les plantes puissent pousser).

Tout en prenant soin de ne pas nous faire remarquer, nous remontâmes un long couloir peint en bleu qui conduisait vers le nord. Au bout, nous tombâmes sur un escalier : nous montâmes.

Nous débouchâmes dans un jardin plein de fleurs bleu pétrole très parfumées.

Farfouin les renifla et sortit de sa poche un MANUEL DE BOTANIQUE (la science qui étudie les plantes et les fleurs).

Il le feuilleta, intrigué.

– Hummm, ces fleurs… n'existent pas !

Un papillon d'un insolite bleu fluorescent voleta paresseusement autour de nous.

Farfouin sortit un autre MANUEL (cette fois D'ENTOMOLOGIE, la science qui étudie les insectes).

– Bizarre. Ce papillon… n'est pas non plus dans mon livre !

N
O
E
S
USINES DE
DÉSALINISATION
STATUE DE
L'EMPEREUR BLEU
CHAMPS CULTIVÉS

PALAIS DE
L'EMPEREUR BLEU
ZONE
INDUSTRIELLE

Soudain, nous entendîmes des pas sur le sentier. Nous nous cachâmes.
J'écarquillai les yeux.
Les deux rongeurs guerriers qui s'avançaient étaient les plus bizarres que j'avais jamais vus. Ils avaient… le pelage **bleu** !

JE VIENS D'AVOIR UNE *'TITE* IDÉE !

Les deux rongeurs bavardaient paisiblement.
– Ces benêts de Sourisia ont livré les **mille** tonnes d'or, hein ?
– Ouais. Notre empereur avait raison.
– Et ce n'est qu'un début. L'empereur a besoin de beaucoup d'or, parce qu'il veut construire la prochaine ville tout en or, pas en fer, comme celle-ci, qui rouille à vue d'œil !
Ils s'éloignèrent.
En poursuivant, nous tombâmes sur…
un spectacle incroyable.
Une ville entièrement peuplée de rongeurs bleus !
Farfouin marmonna :
– Ici, tout le monde est bleu, difficile de se fondre dans la foule.

Puis il chicota :

– Je viens d'avoir une *'tite* idée !

Il m'indiqua un salon de coiffure.

Il cria :

– AU FEUUU ! AU FEUUUUUU !

Le coiffeur sortit en courant, affolé.

– Le feu ? Où ça ? Où ça ?

Farfouin en profita pour s'introduire à l'intérieur et rafler des flacons de teinture, un peigne, une brosse, des ciseaux, une serviette.

Il m'expliqua :
– Stilton*itou*, je ne suis pas un voleur ; en échange de ces petits objets très utiles, j'ai laissé... un régime de bananes !
Puis il déboucha les flacons.
– Je vais te teindre le pelage. Tu es prêt ?
– Hum, mais tu t'y connais en teinture ?
– Mais bien sûr que je m'y connais ! Ma cousine Scouitishampou, qui est coiffeuse, m'a enseigné tous les *'tits* trucs du métier !
Il me versa sur la tête un flacon de teinture.
Mais lorsque je me regardai dans le miroir, je faillis m'évanouir. J'avais le pelage **rouge tomate** !
Il fit une nouvelle tentative, mais, cette fois, mon pelage devint **vert pistache**.
Puis... il fut **blond platine**.
Et ensuite **NOIR CHARBON**. Enfin, à la cinquième tentative, il fut **bleu ciel**.

Emporté par l'enthousiasme, Farfouin brandit les ciseaux.

– Une belle coupe punk avec une crête, à la dernière mode !

Je hurlai :

– Stooop !

… mais il était trop tard.

En découvrant ma tête dans le miroir, j'eus envie de pleurer : j'avais l'air d'un nigaud. Pour que mon pelage repousse, il faudrait des mois et des mois !

Farfouin sortit une banane de sa poche.

– Maintenant, je *gousticroque**.

* **Je gousticroque :** *je prends un goûter.*

Je le poursuivis en courant autour d'une fontaine, mais je dérapai sur la peau de sa banane et me retrouvai les quatre fers en l'air.

Je m'évanouis !

Je revins à moi parce que Farfouin me hurlait dans les oreilles :

– Allez, Stilton*itou*, réveille-toi ! Pendant que tu dormais (*'tit* paresseux !), j'ai aussi teint tes vêtements, comme ça, personne ne te remarquera !

– Tu as teint... ma veste en cachemire si raffinée ? Et

bleu ciel

ma cravate de soie préférée, celle que m'a offerte Benjamin ?

– Eh oui. Je suis génial, non ?

Je me remis à lui courir derrière, mais je dérapai encore sur la peau de banane et mon museau alla cogner par terre.

– AÏÏÏÏÏÏÏÏÏÏÏÏÏÏÏÏÏÏÏE !

DU COULIS DE COQUES AVARIÉES ?

Pendant que nous nous dirigions vers le centre de la **ville bleue**, Farfouin me demanda, inquiet :

– À ton avis, je plairai à Téa avec le pelage bleu ?

Puis il soupira :

– Ah, Téa… quelle rongeuse fascinante… Son seul prénom éveille en moi des pensées romantiques… Imagine, si Téa acceptait de m'épouser, toi et moi, nous deviendrions parents !

Je blêmis.

– *Par mille mimolettes…*

La seule idée d'avoir Farfouin comme parent me donnait des frissons !

Nous nous mêlâmes à la foule des rongeurs au pelage bleu qui peuplaient la **ville bleue**.

Enfin, nous atteignîmes la zone nord.
Farfouin remarqua une camionnette bleue de l'Entreprise de nettoyage Espadon Bûcheux. Il bricola la serrure et, en une seconde, ouvrit la portière.
– Mais comment as-tu fait ? demandai-je, stupéfait.
– Je sais ouvrir *toutes* les serrures. Mais je le fais *uniquement* en cas d'urgence, comme aujourd'hui, pour sauver la ville de Sourisia !
Il démarra et se dirigea vers le palais de Thalassius, un grand bâtiment en forme de coquillage. Puis il se pencha à la fenêtre vers un garde.
– Eh, vous, là-bas, du coquillage, vous me laissez entrer ? Mon entreprise offre un nettoyage **gratuit**. C'est une occasion à ne pas manquer !
Le garde ricana.
– Ben, si c'est **gratuit**, entrez donc ! Notre empereur est tellement radin que ça lui fera plaisir de ne rien payer !
Nous entrâmes dans le repaire du perfide Thalassius...

Farfouin marmonna :

– *Par mille bananettes,* qu'est-ce que ça pue ! Avec quoi ils lavent par terre, ici ? Avec du coulis de coques avariées ? Ça aurait vraiment besoin d'un bon coup de serpillière ! Quels crados, ces bleuâtres ! Et leur empereur, quel rapiat !

Nous garâmes la camionnette. Puis nous déchargeâmes balais, serpillières et brosses, et commençâmes à nettoyer.

LE PERFIDE EMPEREUR BLEU

Le sol, les murs et les plafonds étaient en marbre bleu. Par terre, d'épais tapis bleus, aux murs, d'énormes tableaux aux cadres bleus qui représentaient des requins, des poulpes, des coraux...
Je lus un écriteau sur une porte :

Farfouin trafiqua la serrure et la porte s'ouvrit.
Nous entrâmes dans un immense salon aux murs tapissés de damas bleu.
Au centre, il y avait tout l'or de notre ville !
Un bruit retentit et, *sur la pointe des pattes,* nous nous cachâmes derrière une colonne.
À une table laquée de bleu était assis un petit rongeur rondouillard, au pelage azuré. Il portait un uniforme bleu avec des écussons dorés et une cape de velours bleuté. Il arborait un tricorne. Je remarquai en frissonnant que ses yeux étaient… **rouges** !
Il sirotait une tasse de *thé d'algues puantes* et grignotait des *biscuits au hareng vanillé.*

Sur la table, je remarquai aussi des *chocolats au saumon fumé.* Beurk !
L'empereur bleu marmonna :

L'empereur bleu

Thalassius Thalassimaque

Qui il est : une souris au pelage bleu comme la mer, aux yeux rouges comme le feu.

Sa famille : il a une sœur prénommée Méduse, une cousine dénommée Orque et un perfide neveu appelé Requinquin.

Son rêve : la ville bleue rouille, car elle est en fer. Il rêve de la reconstruire en or, pour qu'elle ne rouille plus jamais !

Son plan : il s'est allié avec le perfide Némo pour conquérir d'abord la ville des Souris, puis l'île des Souris, et enfin le monde entier.

Son secret : toute l'énergie qui sert à faire fonctionner la ville bleue est fournie par un énorme saphir radioactif, caché en un endroit secret.

Son point faible : il est très très très radin !

–IL FAUDRA AU MOINS UNE ANNÉE POUR BÂTIR LA NOUVELLE VILLE. HUMMM, SAVOIR SI CES MILLE TONNES D'OR ME SUFFIRONT... SI CE N'EST PAS ASSEZ, HÉ HÉ HÉÉÉ, JE VIDERAI DE NOUVEAU LES COFFRES DE SOURISIA.

À côté de lui, un rongeur tout rond, à la mine perfide, aussi petit que répugnant, poussa un cri inspiré :

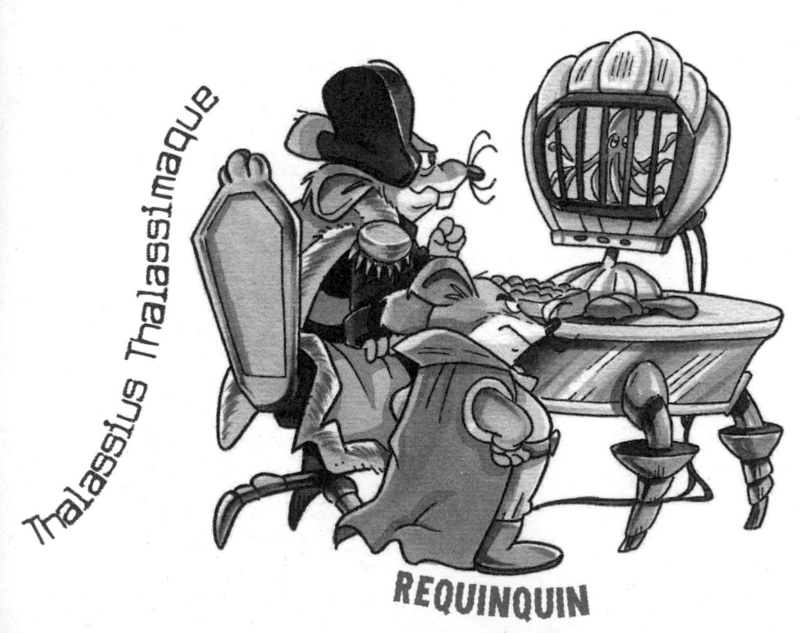

– Tonton, il me tarde de bâtir la nouvelle ville tout en or qui ne rouillera jamais !

Thalassius grommela :

– NEVEU, IL AURAIT FALLU Y PENSER PLUS TÔT, QUAND NOUS L'AVONS BÂTIE EN FER : ELLE ROUILLE DÉJÀ ! QUAND JE PENSE À TOUT CE QUE J'AI DÉPENSÉ... OH LÀ LÀ. CETTE FOIS, IL FAUT ÉCONOMISER, COMPRIS ? É-CO-NO-MI-SER !

Il alluma un ordinateur. Sur l'écran apparut l'image d'un gros calamar. Il était enfermé dans une cage. Il avait l'air très triste !

– NE DONNEZ PAS TROP À MANGER À OKTOPUSSS, LE CALAMAR GÉANT. IL NE DOIT PAS PRENDRE DE MAUVAISES HABITUDES. JE SAIS COMMENT FAIRE, MOI, POUR LE MAINTENIR SOUS MA

DOMINATION ! déclara l'empereur bleu, avec un éclat de rire méchant.

Puis il décrocha un téléphone bleu et annonça :

– **JE SUIS L'EMPEREUR BLEU, JE VOUDRAIS PARLER À NÉMO... AH, SALUT, NÉMO, C'EST TOI ? OUI, J'AI TERRORISÉ LES HABITANTS DE SOURISIA, ILS M'ONT REMIS MILLE TONNES D'OR. BIEN SÛR, JE SUIS RAVI DE CETTE ALLIANCE AVEC TOI. ENSEMBLE, NOUS SERONS INVINCIBLES ! ET NOUS DEVIENDRONS LES MAÎTRES DU MONDE !**

Je frissonnai, car j'avais compris avec qui il parlait : **NÉMO**, le perfide rat d'égout qui, depuis toujours, rêvait de conquérir Sourisia !

Thalassius ricana.

En mâchant un *chewing-gum à la morue*, il sortit de la pièce, suivi par son perfide neveu.

ALARME BLEUE !

Nous sortîmes de derrière la colonne et nous approchâmes de l'ordinateur, pour mieux comprendre où se trouvait le calamar...
mais la porte s'ouvrit.
Le neveu de l'empereur bleu entra en marmonnant :
– J'ai oublié mes *bonbons aux huîtres*...
Dès qu'il nous vit, il hurla :
– **ALARME BLEUE !**
Un solide filet d'acier tomba du plafond et nous emprisonna comme des petits poissons.
– **Au secouuurs !** hurlai-je, la tête en bas.
L'empereur bleu, revenu dans la pièce, fit un signe à une patrouille de gardes bleus.
– Jetez-les en prison !

POUSSE UN *'TIT* CRI !

Avant même que nous n'ayons pu dire scouit, les gardes bleus nous avaient emmenés. Ils nous enfermèrent dans un cachot humide, qui sentait la saumure.

Un gardien s'assit non loin de notre cellule et entreprit de ronger un sandwich au hareng (je pouvais en sentir l'odeur).

Je m'agrippai aux barreaux, tristement.

Farfouin me fit un clin d'œil.

Il murmura :

– Maintenant, tu vas pousser un *'tit* cri, pendant que, avec un *'tit* crochet, je vais lui voler son *'tit* trousseau de clefs ! Compris, Stilton*itou* ?

J'étais confus.
– Quoiii ? Je dois crier ? Bref, je dois faire semblant d'avoir mal ? Euh, je ne sais pas si j'y arriverai… Je ne suis pas un bon comédien…
Pour toute réponse, il me donna un grand coup de pied sur la patte droite.
Je hurlai à tue-tête…

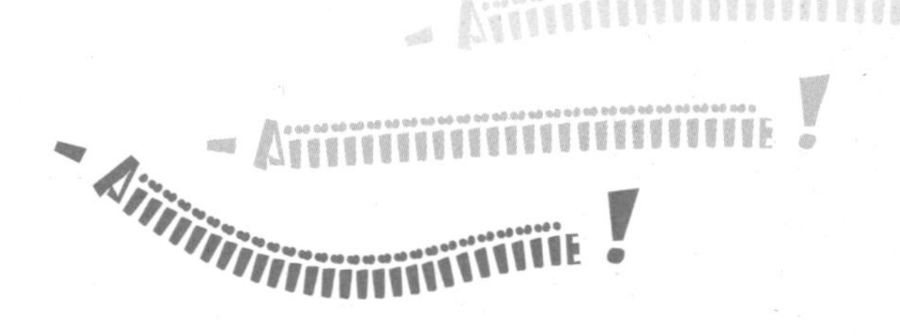

Le gardien accourut, tandis que je me roulais par terre de douleur.

Je n'avais pas besoin de faire semblant, j'avais vraiment mal à la patte !!!

Oooooooh, comme j'avais mal ! Oooooooh! Oooooooh! Oooooooh!

Farfouin cria au gardien :

– Va chercher des renforts, *nigaud bleu* ! Tu ne vois pas que Stilton*itou* se trouve mal ? Couuuuuuuuuurs !

Le rongeur hurla :

– D'accord, je vais chercher les renforts !

Farfouin sortit un petit crochet de son imperméable et, du bout de la queue, le passa à travers les barreaux et attrapa au vol le trousseau de clefs du gardien.

Puis il ouvrit la serrure de notre cellule.

Nous eûmes juste le temps de nous faufiler au-dehors avant que les gardes bleus n'arrivent.

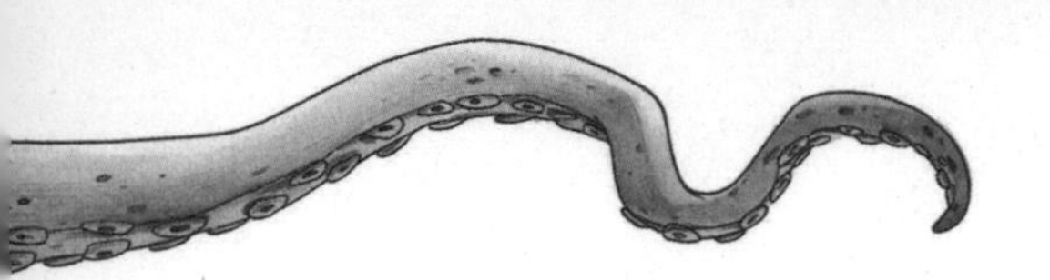

DES BANANES ET DES CALAMARS

Nous entendîmes le ressac de vagues.
En nous guidant au bruit, nous parvînmes au bout du couloir.
C'est là, dans une cage, qu'était…
Oktopusss, le calamar géant !
Il tendit un tentacule dans ma direction et m'effleura une cheville.
Je fis un bond en arrière.
– Tenons-nous à l'écart, il peut être **DANGEREUX** ! m'écriai-je, horrifié.
Mais, en sifflotant, Farfouin choisit une clef dans le trousseau qu'il avait dérobé au gardien, s'approcha de la cage et l'ouvrit.

Le calamar se glissa dehors en silence.
– **Attention !** hurlai-je. Que fais-tu ?
Farfouin chicota tranquillement :
– Ne t'inquiète pas, Stilton*itou* !
Il sortit de sa poche une belle banane mûre et la lança au calamar.

– **Allez, calamar*itou*, goûte-moi un peu ça !**

À ma grande stupeur, le calamar attrapa la banane au vol avec un tentacule, l'éplucha avec un autre et, avec un troisième, se la fourra dans la bouche.
– Miam !
Il la mâcha longuement, puis l'avala avec un petit rot de satisfaction : Burp !
Farfouin ricana.
– Tu as vu ? Les banan*ettes*, c'est tellement bon que tout le monde aime ça, même lui !

Le gros calamar prit la banane…

… l'éplucha…

Farfouin gratta affectueusement la tête du gros calamar.

– Nous sommes amis, maintenant, hein

Oktopusss tendit un tentacule… et lui entoura le cou !

Je bondis.

– Attentioooooon !!!

Mais Farfouin ne sourcilla pas.

– Stilton, calme-toi ! Je te trouve un *'tit* peu nerveux, tu devrais prendre une *'tite* tasse de camomille ! Le *'tit* calamar veut seulement me montrer… ça !

Il désigna le bracelet de fer qui enserrait le tentacule.

Je m'approchai précautionneusement et l'examinai de près.

Le bracelet métallique était pourvu de toute une série de capteurs.

J'en effleurai un et je ressentis une très forte secousse. Farfouin caressa la tête du calamar.

– Pauvre *'tit*, ça doit faire mal. Voilà comment l'empereur bleu t'oblige à lui obéir : il t'envoie des secousses, hein ? C'est un vilain ! Mais maintenant que je suis là, on va voir ce qu'on va voir !

Il sortit un tournevis de son imperméable jaune et, en sifflotant, se mit à dévisser patiemment, une à une, toutes les vis des bracelets.
Quelques minutes plus tard…

Oktopusss était libre. libre libre libre

Tout ému, il embrassa Farfouin.
Puis il commença à gesticuler de ses tentacules et je compris qu'il essayait de communiquer avec nous.
Nous l'observâmes attentivement, essayant d'interpréter son langage bizarre…

Merci !
Comment t'appelles-tu ?
Nous sommes amis !
Je m'appelle Oktopusss !
Je veux retourner chez ma maman !
Bonne nuit !

FAIS UN ’*TIT* SAUT, STILTON*ITOU* !

Nous nous retrouvâmes devant une porte de fer sur laquelle était inscrit : **NE PAS OUVRIR !!!**
Farfouin s’écria :
– Ah bon ? Eh bien moi, j’ouvre !
À peine eut-il entrebâillé la porte qu’un flot d’eau inonda le couloir.
Farfouin lança son cri de bataille :

– Farfarfarfarfarfouinfouinfouinfouinscouit !

Puis il me traîna par la queue.
– Fais un ’*tit* saut, Stilton*itou* !

Nous nageâmes vers le fond vers le fond vers le fond vers le fond vers le fond vers le fond vers le fond vers le fond vers le fond vers le fond vers le fond vers le fond vers le fond vers

L'eau **GLACIALE** me coupa la respiration.
Le manque d'oxygène me déchirait les poumons... Je m'aperçus que le calamar nous suivait ! Et il tenait dans ses tentacules les mille tonnes d'or de Sourisia !
Je n'avais plus de souffle quand nous atteignîmes enfin le sous-marin.
Nous entrâmes et Farfouin s'écria :
– On y vaaa ! *Je me suis découcoutifié** d'être loin de chez moi !

* **Je me suis découcoutifié :** *j'en ai assez.*

La radio grésilla :

– **CETTE FOIS, VOUS AVEZ GAGNÉ, MAIS LA PROCHAINE FOIS... VOUS NE VOUS EN TIREREZ PAS COMME ÇA, PAROLE DE THALASSIUS THALASSIMAQUE !**

Farfouin fit un pied de nez.

– Voici ma réponse... Prrrrrrrrrrrrrrr !

La boule se souleva sur ses pattes d'acier et s'enfuit en courant.

Le long voyage de retour commença.

Lorsque nous entrâmes enfin dans le port de

Sourisia, une foule de curieux était là pour nous accueillir.

Mais quand le calamar géant émergea, **TOUT LE MONDE POUSSA UN HURLEMENT DE TERREUR.**

Farfouin les rassura :

– Calmez-vous, tout va bien ! Le gros calamar est notre ami. Vous voyez ? Il a rapporté notre or !

LA « VALSE DES MIMOLETTES »

La ville des Souris était en fête.

Nous fêtâmes la victoire avec un **GIGANTESQUE** gâteau au roquefort, nappé de fondue caramélisée.

Devant les caméras de **RAT TV**, le maire prononça un discours :

– Grâce à vous, notre peuple est sauvé ! Et nous avons même récupéré nos montres, nos bijoux, nos souvenirs…

– Et même nos dents en or ! s'écria mon cousin Traquenard.

Toute la ville nous acclama :

– Hourra pour Geronimo Stilton ! Hourra pour Farfouin Scouit !

Farfouin fixa les caméras et hurla :

– Salut, *'tite* grand-mère, tu es fier de moi ?

Puis, d'un air romantique :

– Je dédie cette victoire à la rongeuse qui a conquis mon *'tit* cœur pour toujours : Téa Stilton !

Le public scanda :

– Le bi-sou ! – Le bi-sou ! – Le bi-sou !

Téa monta sur la scène. Émue, elle donna un bisou à Farfouin, sous les applaudissements de l'assistance.

Peut-être, un jour, se marieraient-ils pour de bon ?

Un orchestre entonna une valse *romantique* et Téa et Farfouin se mirent à danser.

C'est à ce moment que quelqu'un déposa par surprise un bisou sur mes moustaches.

Je me retournai : c'était TÉNÉBREUSE TÉNÉBRAX, ma meilleure amie (qui s'imagine aussi être ma fiancée).

– Mon Gerominou adoré, tu m'as tellement manqué !
Tandis que l'orchestre jouait la *Valse des mimolettes*, nous aussi, nous dansâmes, dansâmes, dansâmes sous la lune.
Ah, comme la vie est bizarre !
Quelques jours plus tôt, je craignais de laisser mon pelage dans cette terrible aventure.
À présent, j'étais acclamé dans ma ville comme un héros… En effet, la vie est **BIZARRE**, mais *très belle*, parce qu'elle réserve des surprises perpétuelles !

UNE FAMILLE TOUTE BLEUE

Le lendemain de la fête, **Oktopusss** décida de repartir. Nous allâmes le saluer au port.
Ce fut un adieu très émouvant : au moment de prendre congé de Farfouin, le gros calamar pleura des larmes d'encre bleue.
– Pourquoi ne restes-tu pas un peu ? Je te présenterai toute la famille Scouit ! lui proposa Farfouin par gestes.
Dans le même langage, le calamar répondit :

– Merci, mais *ma* famille me manque trop. Cela fait si longtemps que je ne l'ai pas vue : j'ai été enlevé par l'empereur bleu alors que j'étais tout petit…

Mais je reviendrai te voir un jour, mon ami !

Les larmes aux yeux, le gros calamar nous montra une photo de sa famille.

PAR MILLE ANGUILLES…

Le lendemain était un dimanche.
Le matin, je passai prendre Benjamin dès l'aube et, ensemble, nous allâmes chez Ratelot Sourisdemer.
Comme tous les véritables marins, il se lève toujours très tôt : nous le trouvâmes accoudé à la fenêtre de sa MAISONNETTE sur le port.
– Entre, Geronimo, on va partager le petit déjeuner !
Palourdette me proposa de nouveau une soupe de poisson FUMANTE.
– Je vous remercie beaucoup, madame, mais j'ai l'estomac délicat…
Ratelot me donna une tape sur l'épaule.

– Ah, mais dis-le, que tu as le mal de mer, ne fais pas le timide ! Il n'y a pas à avoir honte, tu sais ! L'amiral Nelson et un tas d'autres marins fameux en souffraient eux aussi.

Paloudette sourit.

– *Par mille anguilles*, Geronimo, j'ai ce qu'il te faut !

Elle alla à la cuisine et revint avec d'excellentes tartines grillées.

HORACE NELSON (1758-1805) : COURAGEUX AMIRAL BRITANNIQUE QUI ANÉANTIT LA FLOTTE DE NAPOLÉON À TRAFALGAR.

Puis elle me servit une tasse de thé léger.

– Si tu souffres du mal de mer, tu ne dois pas être à jeun. Mange un encas, du pain par exemple. Préfère le salé au sucré, évite le café, le lait, le chocolat, la friture et toutes les nourritures trop lourdes à digérer, qui produisent de l'acidité. Ce sont les sucs gastriques de l'estomac qui provoquent la nausée. Tu verras que comme ça tout se passera très bien !

Benjamin et moi montâmes à bord du voilier et, poussés par une fraîche brise matinale, nous sortîmes du port de Sourisia.

Je m'aperçus aussitôt que Palourdette avait raison.

Les vagues balançaient le bateau de haut en bas, de haut en bas, de haut en bas, de haut en bas, de haut en bas...

... mais je n'avais plus le mal de mer !

L'AURORE AUX DOIGTS DE ROSE...

Je scrutai le ciel.

– Nous allons avoir une journée splendide !

Benjamin acquiesça :

– Oui, oncle Geronimo, ça va être une journée... **très très belle** !

Nous gardâmes longuement le silence : ce silence dépourvu de gêne, chaleureux, rassurant, qui ne peut s'installer qu'entre deux personnes qui s'aiment *vraiment*.

Nous admirâmes ensemble ce ciel aux délicates nuances rosées, lumineux comme l'intérieur d'une coquille de nacre.

Je me souvins d'une citation d'Homère.

Je la prononçai en grec, pour que Benjamin constate comme cette ancienne langue était musicale.

– *Rhododaktulos Êôs…* c'est-à-dire « L'aurore aux doigts de rose ».

J'ai toujours aimé ce vers, et j'ai toujours aimé étudier le grec ancien, langue unique, riche d'harmonies.

– Qui était Homère, tonton ?

– Un poète grec de l'Antiquité. D'après les légendes, c'est lui qui composa deux grands poèmes : l'ILIADE et l'ODYSSÉE.

Nous mîmes le cap vers le large.

Je dis à Benjamin :

HOMÈRE (VIIIe SIÈCLE AVANT J.-C.) C'ÉTAIT UN POÈTE AVEUGLE QUI, DANS LA GRÈCE ANTIQUE, ALLAIT DE VILLE EN VILLE POUR CHANTER SES COMPOSITIONS.

– J'ai pris des masques et des palmes, comme ça, nous pourrons bien voir le fond de la mer. Il y a plein de poissons colorés là-dessous ! Et puis, après avoir nagé, nous pique-niquerons : regarde toutes les bonnes choses que j'ai apportées !
Benjamin fouilla dans le panier pique-nique et chicota, tout heureux :
– Waouh, tonton, mais c'est assourissant !
Je souris à mon petit neveu.
– J'ai aussi apporté l'appareil photo. Grâce au déclencheur automatique, nous pourrons prendre une photo souvenir de cette belle journée d'été !

BIEN DES ANNÉES ONT PASSÉ…

L'appareil prit la photo.

Depuis, bien des années ont passé, mais je la conserve encore dans mon portefeuille…

C'est l'un de mes plus beaux souvenirs !

TABLE DES MATIÈRES

Geronimo Stilton

DANS LA MÊME COLLECTION

30. Comment devenir une super souris en quatre jours et demi
31. Un vrai gentilrat ne pue pas !
32. Quatre Souris au Far West
33. Ouille, ouille, ouille... quelle trouille !
34. Le karaté, c'est pas pour les ratés !
35. L'Île au trésor fantôme
36. Attention les moustaches... Sourigon arrive !
37. Au secours, Patty Spring débarque !
38. La Vallée des squelettes géants
39. Opération sauvetage
40. Retour à Castel Radin
41. Enquête dans les égouts puants
42. Mot de passe : Tiramisu
43. Dur dur d'être une super souris !
44. Le Secret de la momie
45. Qui a volé le diamant géant ?
46. À l'école du fromage
47. Un Noël assourissant !
48. Le Kilimandjaro, c'est pas pour les zéros !
49. Panique au Grand Hôtel
50. Bizarres, bizarres, ces fromages !
51. Neige en juillet, moustaches gelées !
52. Camping aux chutes du Niagara
53. Agent secret Zéro Zéro K
54. Le Secret du lac disparu
55. Kidnapping chez les Ténébrax !

- Hors-série

Le Voyage dans le temps (tome I)
Le Voyage dans le temps (tome II)
Le Royaume de la Fantaisie
Le Royaume du Bonheur
Le Royaume de la Magie
Le Royaume des Dragons
Le Secret du courage
Énigme aux jeux Olympiques

- **Téa Sisters**
  Le Code du dragon
  Le Mystère de la montagne rouge
  La Cité secrète
  Mystère à Paris
  Le Vaisseau fantôme
  New York New York !
  Le Trésor sous la glace
  Destination étoiles
  La Disparue du clan MacMouse
  Le Secret des marionnettes japonaises

- **Le Collège de Raxford**
  Téa Sisters contre Vanilla Girls
  Le Journal intime de Colette
  Vent de panique à Raxford
  Les Reines de la danse

L'ÉCHO DU RONGEUR
L'ÉCHO DU RONGEUR
6
5
4
3
1
2
1. Entrée
2. Imprimerie
(où l'on imprime les livres et le journal)
3. Administration
4. Rédaction (où travaillent les rédacteurs,
les maquettistes et les illustrateurs)
5. Bureau de Geronimo Stilton
6. Piste d'atterrissage pour hélicoptère

1
9
4
2
8
18
3
32
13
11
12
10
19
46
45
Fleuve Souris
17
22
15
5
7
40
20
26
28
14
16
23
36
27
21
24
25
38
33
37
29
44
31
Plage
30
6
41
34
39
42
35
43

Sourisia, la ville des Souris

1. Zone industrielle de Sourisia
2. Usine de fromages
3. Aéroport
4. Télévision et radio
5. Marché aux fromages
6. Marché aux poissons
7. Hôtel de ville
8. Château de Snobinailles
9. Sept collines de Sourisia
10. Gare
11. Centre commercial
12. Cinéma
13. Gymnase
14. Salle de concerts
15. Place de la Pierre-qui-Chante
16. Théâtre Tortillon
17. Grand Hôtel
18. Hôpital
19. Jardin botanique
20. Bazar des Puces-qui-boitent
21. Maison de tante Toupie et de Benjamin
22. Musée d'Art moderne
23. Université et bibliothèque
24. La Gazette du rat
25. L'Écho du rongeur
26. Maison de Traquenard
27. Quartier de la mode
28. Restaurant du Fromage d'or
29. Centre pour la Protection de la mer et de l'environnement
30. Capitainerie du port
31. Stade
32. Terrain de golf
33. Piscine
34. Tennis
35. Parc d'attractions
36. Maison de Geronimo Stilton
37. Quartier des antiquaires
38. Librairie
39. Chantiers navals
40. Maison de Téa
41. Port
42. Phare
43. Statue de la Liberté
44. Bureau de Farfouin Scouit
45. Maison de Patty Spring
46. Maison de grand-père Honoré

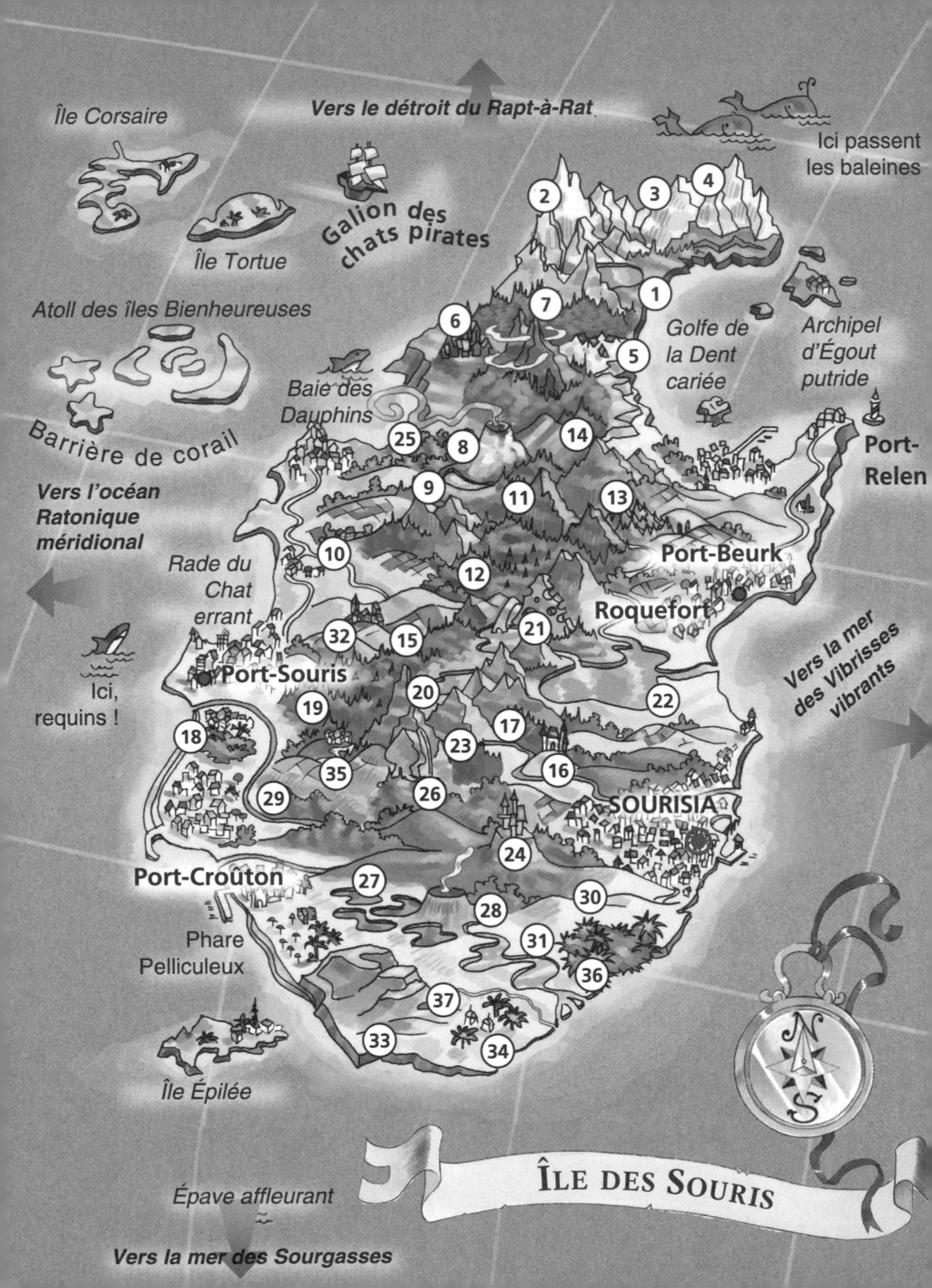

Vers le détroit du Rapt-à-Rat
Île Corsaire
Ici passent les baleines
Île Tortue
Galion des chats pirates
Atoll des îles Bienheureuses
Golfe de la Dent cariée
Archipel d'Égout putride
Baie des Dauphins
Barrière de corail
Port-Relen
Vers l'océan Ratonique méridional
Port-Beurk
Rade du Chat errant
Roquefort
Vers la mer des Vibrisses vibrants
Port-Souris
Ici, requins !
SOURISIA
Port-Croûton
Phare Pelliculeux
Île Épilée
Épave affleurant
Vers la mer des Sourgasses
ÎLE DES SOURIS
1
2
3
4
5
6
7
8
9
10
11
12
13
14
15
16
17
18
19
20
21
22
23
24
25
26
27
28
29
30
31
32
33
34
35
36
37

Île des Souris

1. Grand Lac de glace
2. Pic de la Fourrure gelée
3. Pic du Tienvoiladéglaçons
4. Pic du Chteracontpacequilfaifroid
5. Sourikistan
6. Transourisie
7. Pic du Vampire
8. Volcan Souricifer
9. Lac de Soufre
10. Col du Chat Las
11. Pic du Putois
12. Forêt-Obscure
13. Vallée des Vampires vaniteux
14. Pic du Frisson
15. Col de la Ligne d'Ombre
16. Castel Radin
17. Parc national pour la défense de la nature
18. Las Ratayas Marinas
19. Forêt des Fossiles
20. Lac Lac
21. Lac Lac Lac
22. Lac Laclaclac
23. Roc Beaufort
24. Château de Moustimiaou
25. Vallée des Séquoias géants
26. Fontaine de Fondue
27. Marais sulfureux
28. Geyser
29. Vallée des Rats
30. Vallée Radégoûtante
31. Marais des Moustiques
32. Castel Comté
33. Désert du Souhara
34. Oasis du Chameau crachoteur
35. Pointe Cabochon
36. Jungle-Noire
37. Rio Mosquito

Au revoir, chers amis rongeurs, et à bientôt pour de nouvelles aventures.
Des aventures au poil, parole de Stilton, de…

Geronimo Stilton